Giovanna Zoboli

Lisa D'Andrea

LA SOURIS
QUI N'EXISTAIT PAS

TRADUCTION DE BÉATRICE DIDIOT

ALBIN MICHEL JEUNESSE

D1089013

IL ÉTAIT UNE FOIS UN CHAT,
UN BEAU CHAT TIGRÉ,
AVEC LA TÊTE PLEINE DE SOURIS.

TOUTE LA JOURNÉE, IL PENSAIT AUX SOURIS.

PARFOIS, IL PENSAIT À UNE SEULE SOURIS.
IL LA VOYAIT BIEN, DANS LE MOINDRE DÉTAIL,
EN PARTICULIER LES JOURS OÙ IL SE SENTAIT
TRÈS APPLIQUÉ.

ET D'AUTRES FOIS, À DEUX SOURIS EN MÊME TEMPS.
L'UNE LUI APPARAISSAIT CLAIREMENT, DE LA TÊTE AUX PATTES ;

L'AUTRE, AU CONTRAIRE, UN PEU ESTOMPÉE,
COMME SI ELLE ÉTAIT ENTRÉE DANS UN NUAGE
OU FAISAIT DES INHALATIONS.

CELA ARRIVAIT LES JOURS
OÙ IL MANQUAIT DE SOMMEIL
OU AVAIT UNE OREILLE BOUCHÉE.

PARFOIS, IL EN VOYAIT **TRENTE-TROIS** DANSANT LA POLKA,
LES JOURS OÙ IL SE DISAIT QU'IL AURAIT AIMÉ
ÊTRE INVITÉ À UNE FÊTE.

D'AUTRES FOIS, **SEIZE**, QUI JOUAIENT AUX CARTES.
UNE IMAGE QUI LUI VENAIT LE SOIR, QUAND, DANS LA JOURNÉE,
IL ÉTAIT PASSÉ À VÉLO PRÈS D'UN CLUB DE PÉTANQUE AVEC UNE TONNELLE.

OU ENCORE, **VINGT-SEP**T, FAISANT LA QUEUE POUR ACHETER LES FAMEUSES BOTTES ANTIPLUIE DU Dr. Knapp.

UN BIEN JOLI TABLEAU, QUI LUI VENAIT LES MATINS OÙ ON ENTENDAIT «PLIC-PLOC!» DEHORS, SIGNE QU'IL PLEUVAIT.

OU QUATRE-VINGT-HUIT,

EN VESTE À CARREAUX.

SURTOUT QUAND

SON VOISIN CHANTAIT

SINGIN'
IN THE RAIN

OU **CENT QUARANTE-QUATRE** DANS L'AUTOCAR,
QUAND SES TYMPANS VIBRAIENT À CAUSE DU BOUCAN DU VIADUC ROUTIER.

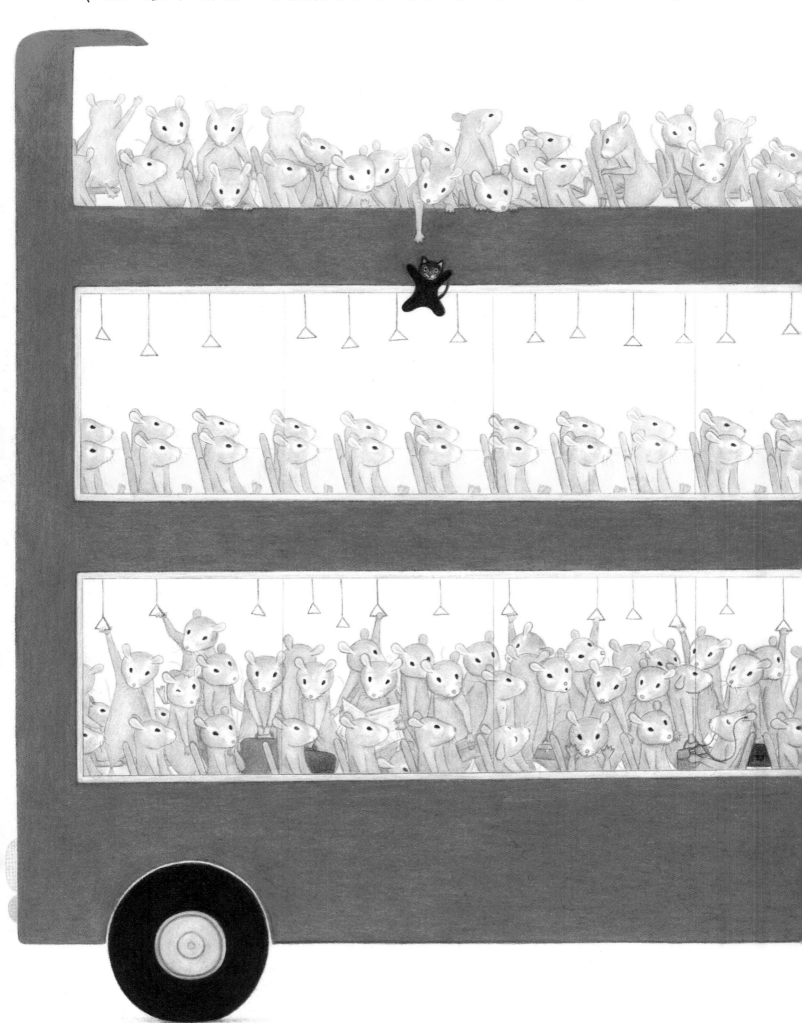

PARFOIS, SES AMIS SONNAIENT EN BAS DE CHEZ LUI.
Tu viens pêcher ? DEMANDAIENT-ILS À L'INTERPHONE.

MAIS LUI : *Non, je suis occupé,*
je dois penser à mes souris.

Encore ?
S'ÉTONNAIENT LES AUTRES.

Oui, je ne peux pas me défiler.

OU ILS PROPOSAIENT : On va aux escargots ?
Demain peut-être... RÉPONDAIT LE CHAT.

Aujourd'hui, j'ai une nouvelle souris dans la tête.

CAR C'ÉTAIT UN CHAT TRÈS CONSCIENCIEUX :

À DIX-HUIT ANS, IL VOULAIT AVOIR IMAGINÉ

PAS MOINS D'**1** *Million* DE SOURIS.

ET IL Y CROYAIT, SURTOUT LES JOURS D'OPTIMISME.

MAIS PARFOIS, IL SE DISAIT JUSTE:

Si je ne les pense pas, qui le fera ?

UNE RÉFLEXION QUI LUI VENAIT QUAND IL S'ASSEYAIT

CONVENABLEMENT À SA TABLE, FACE À SA CONSCIENCE.

ET IL EN AVAIT IMAGINÉ, DES SOURIS,

PAS UNE PAREILLE À L'AUTRE :

IL Y AVAIT CELLE À LA QUEUE TORDUE

CELLE QUI FAISAIT CUIRE DES ŒUFS

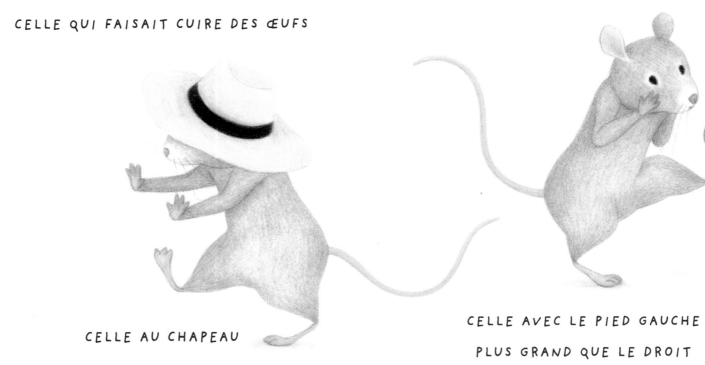

CELLE AU CHAPEAU

CELLE AVEC LE PIED GAUCHE
PLUS GRAND QUE LE DROIT

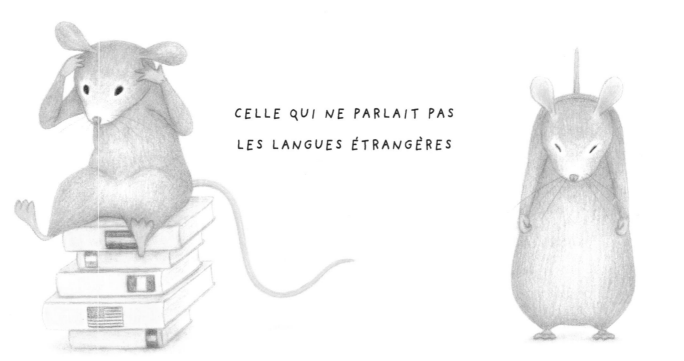

CELLE QUI NE PARLAIT PAS
LES LANGUES ÉTRANGÈRES

CELLE DE MAUVAISE HUMEUR

CELLE QUI NE SE SOUVENAIT PAS
DU NOM DES ACTEURS

CELLE AVEC LA TACHE
NOIRE SUR LE VENTRE

CELLE QUI DÉTESTAIT
LA MOQUETTE

CELLE QUI VOULAIT DEVENIR AVOCAT

CELLE QUI CULTIVAIT UN POTAGER

CELLE QUI VOULAIT PARTIR
VIVRE DANS UN TUYAU.

CELLE COUCI-COUÇA

CELLE EN FORME DE POIRE

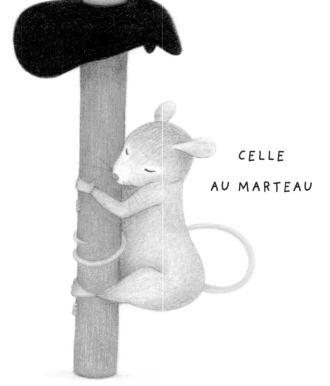

CELLE
AU MARTEAU

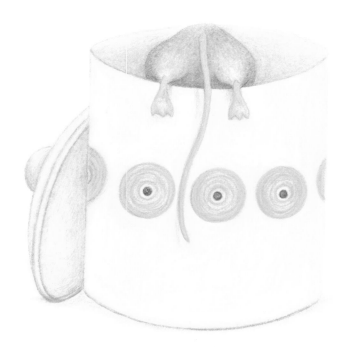

CELLE DE LA BOÎTE À BISCUITS

CELLE
QUI RÉPARAIT
LES CHAISES

CELLE
QUI CONNAISSAIT LE NOM
DE TOUS LES AÉROPORTS DU MONDE.

CELLE
QUI ADORAIT
INDIQUER
LES DIRECTIONS

CELLE QUI ÉTAIT
VANITEUSE

CELLE AU PANTALON ROUGE

CELLE QUI AVAIT PERDU UNE DENT
MARDI 12 AVRIL

CELLE QUI ÉCRIVAIT DES CARTES POSTALES

CELLE QUI AVAIT
DE LA FAMILLE

CELLE AUX POCHES TROUÉES

EN
Alaska

MAIS IL Y AVAIT UNE SOURIS, IL LE SAVAIT,
IL S'EN ÉTAIT APERÇU VITE, PRESQUE IMMÉDIATEMENT,
UNE SOURIS QUI NE LUI VENAIT PAS À L'ESPRIT.

IL EST VRAI QU'ELLE ÉTAIT PARTICULIÈRE.

UNE SOURIS MYSTÉRIEUSE, IMPOSSIBLE À IMAGINER,
QUI NE POINTAIT PAS, COMME SI ELLE N'EXISTAIT PAS.

Tôt ou tard, elle se présentera, SE DISAIT-IL AU DÉBUT.
Peut-être même demain après-midi.

Bah, ce n'est pas si grave.

ET IL SE REMETTAIT À PENSER AUX AUTRES SOURIS.

MAIS CETTE SOURIS-LÀ CONTINUAIT
À LUI TROTTER HORS DE LA TÊTE.

Est-ce possible ? SE DEMANDAIT LE CHAT.
*Possible que je n'arrive pas
à en saisir le moindre détail ?*

*Une patte, ses moustaches,
sa démarche,
la naissance de ses oreilles ?*

Peut-être qu'elle est rusée,
qu'elle veut me taquiner.

À moins qu'elle n'ait peur.

Ou alors elle est timide.

Peut-être que si je n'y pense pas,
tôt ou tard,
sans s'en rendre compte,
elle s'enhardira
et se laissera prendre.
Sans faire attention,
elle me passera par la tête.

MAIS RIEN DE RIEN, QU'IL Y PENSÂT OU NON :
PAS MOYEN DE SE FIGURER CETTE SOURIS-LÀ !

UN JOUR, ON SONNA À LA PORTE.

LE CHAT SONGEA QUE C'ÉTAIT SON AMI FANATIQUE DE MARCHÉS AUX PUCES.

Quel casse-pieds ! SE DIT-IL. ET IL CRIA:

Je ne suis pas là !

IL ÉTAIT EN PLEIN EN TRAIN DE PENSER À LA SOURIS

QUI DÉTESTAIT LA MOQUETTE.

Y'a personne?

ENTENDIT-IL CRIER, COMME S'IL N'AVAIT RIEN DIT.

Y'a personne?
C'est bon, je suis là ! RÉPLIQUA LE CHAT.

Et je n'y suis pour personne !

IL Y EUT ALORS DEUX PETITS COUPS :
toc toc.
AU MÊME INSTANT, LA SOURIS
QUI DÉTESTAIT LA MOQUETTE DISPARUT.
ET LE CHAT SE RETROUVA SEUL.

Je n'ouvrirai pas, qui que tu sois !

DE L'AUTRE CÔTÉ, IL Y EUT UN SILENCE,
UN SILENCE PARFAIT.
LE CHAT N'EN AVAIT JAMAIS ENTENDU DE PAREIL,
COMME S'IL N'Y AVAIT PERSONNE DERRIÈRE LA PORTE.
RIEN QUE LE SILENCE
DE QUELQU'UN QUI N'EXISTE PAS.

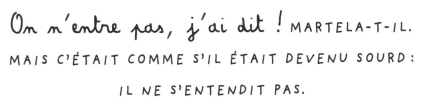

On n'entre pas, j'ai dit ! MARTELA-T-IL.
MAIS C'ÉTAIT COMME S'IL ÉTAIT DEVENU SOURD :
IL NE S'ENTENDIT PAS.

Ou n'aurais-je rien dit ?
S'INQUIÉTA-T-IL.
Je me sens la tête vide.
ET IL ALLA OUVRIR LA PORTE.

IL LA RECONNUT IMMÉDIATEMENT.

ELLE ÉTAIT GRISE,
AVEC QUATRE PATTES,
DEUX OREILLES,
DES YEUX NOIRS,
DES MOUSTACHES,
UN MUSEAU POINTU

ET,
BIEN ENTENDU,
UNE QUEUE.

C'est toi.

DEPUIS CE JOUR, CE CHAT TIGRÉ ET HEUREUX
ALLA PÊCHER AVEC QUICONQUE SONNAIT EN BAS
ET AUX ESCARGOTS AVEC QUICONQUE
LE LUI PROPOSAIT À L'INTERPHONE.
IL ACCOMPAGNA MÊME SON AMI CASSE-PIEDS
AU MARCHÉ AUX PUCES,

BIEN QU'AU BOUT D'UN MOMENT CETTE PROFUSION D'OBJETS
L'ENNUYÂT FORT.